KB016225

오래 쓰겠습니다.

고맙습니다.

-단일-

스쳐지나가는 사랑 또한

헛되지 않았음을

김동석

깊고 넓은 삶의 기억에서

우린 늘 평안하길 바라며

이하림

겨울도 봄이 되어

피어나듯, 우리도

하구비

깊은 것은 어두울 수 밖에 없고

어둡고 깊기에 누군가를 품듯

나의 어두움을 탓하지 말자

- 신현택

두고 온 사랑이 생각나
새벽을 유영합니다

두고 온 사랑이 생각나
새벽을 유영합니다

단일

보이는 것으로부터 보이지 않는 것을 씁니다.
보이지 않는 것을 보이는 것으로 옮기고
울지 못하는 것을 위해 대신 울어줍니다.

말하지 못하는 것을 위해 기꺼이 입이 되어주기도
듣지 못하는 것을 위해 가만히 귀가 되어주기도 합니다.

때론 이미 지나온 길을 돌아보기도 하고
앞으로 걸어갈 길을 미리 걸어보기도 합니다.

그러다 세상이 낯설게 다가오면
스스로를 감추기도
서슴없이 자신의 치부를 드러내기도 합니다.

instagram	@the_unknown_danil
twitter	@Unknown_danil
email	dannygim0413@naver.com

「 풋사랑 」

김동식

흘러만 가도 아름답지만

마냥 물처럼 흘려보내기엔

아까운 순간들이 많다고 느꼈습니다.

오래도록 간직하고픈 마음에서

제 감정에 충실히 글을 썼고

이제는 누군가에게도

한 조각 추억으로 떠올릴 수 있는

곁에 잔잔히 남는 글을 쓰고 싶습니다.

instagram @d_sik2

email squall7146@gmail.com

「그대 머문 사계에서」

이하림

아픔이 온몸을 가득 채우던 때,
사람은 위로가 되지 못했지만, 글은 위로가 되었어요.

글과 아이들이 가득한 지금이 제겐 가장 충만한 때입니다.
그 순간을 자주 잊어버리곤 하는데,
잊지 않으려 쓰고 읽습니다.

살아가는 때에 많은 것들이 제 목을 조여오는 듯하다면
책이 가득한 어느 곳으로든 걸어가 보세요.

더 나아지진 않겠지만 더 나빠지진 않을 테니,
작지만 굵은 삶을 살아가고 있는 제가 터득한
지혜를 남겨 드리며,

2022년 찬란한 각자의 시대에 살고 계신 모두에게.

instagram @ha_rim0821

email xkqgkfla1@naver.com

「 삶이라는 기억 」

하구비

홀로 지샌 밤이 모여 오늘이 되었습니다.
스쳐 지나간 수많은 별과 구름과 바람이 모여
저를 안아 주었습니다.
이제는 홀로 그러려니 하렵니다.
서느런 밤
외롭게 홀로 핀 꽃 한 송이처럼
그러다 웃고 울고 그러려니 하렵니다.
온 세상이 품어준 사람이라 그렇습니다.
그러니 그저 그러려니 하렵니다.

instagram @haneulgureumbi
email ureaka78@naver.com

「 사진을 볼 때면 어느새 울고 있는 당신에게 」

신현택

세상이 조금은
꿉꿉하고 습한 냄새를 풍기는 것이라면

방향제로 삶을 덮는 글이 아닌
같이 땀을 흘리는 글쟁이가 되고 싶습니다.

instagram writer.wave

email sht4415@naver.com

「내일이 토요일이라 사무실 화분에 물을 한 모금 더 주었습니다」

단일 ______

『풋사랑』

이 글을 적는 지금 3월입니다.
낮에는 봄의 따사로움이 있지만
밤은 아직 겨울에 머물렀는지 춥습니다.

그대를 향한 내 감정도 3월인 것 같습니다.
낮엔 따뜻했던 기억이 내 머리를 쓰다듬고
밤엔 겨울바람보다 시린 기억이 가슴을 후벼팝니다.

시를 적던 순간마저 3월인 것 같습니다.
봄처럼 따뜻했던 기억에 미소를 띠기도 했지만
감정이 복받쳐 올라 어깨를 들썩이기도 했습니다.

풋사랑은 했습니다.
따스했고, 시렸습니다.
꼭 3월처럼.

기다림도 사랑이더라고요

그대, 내가 왜 그대를 사랑하게 됐는지 아시나요
부러 강한 체하지만
사실 가녀린 사람이라서 사랑하게 됐습니다

그대, 이런 내 마음이 동정이라 생각 말아요
한시도 그대를 불쌍히 여긴 적 없습니다
힘들어 주저앉으려는 그대의 지팡이가 되고픈
내 진심은 연민이 아닙니다

그대, 미안하다고 하지 말아요
그대 곁에서 기다릴 수 있는 나는 매일 감사하는데
왜 기다리게 만들어서 미안하다고 하시나요

그대, 내가 왜 기다리는지 아시나요
나보다 느린 그대 발걸음이
느리더라도 내게 다가오려는 그대 발끝이
자꾸만 눈에 밟혀서 행복하기에.

헤어짐과 기다림

헤어짐을 말하는 일은 얼마나 고된가
남아있는 느티나무는 알지 못하네
이별을 고하고 날아가는
끝끝내 뒷모습만 보여주는
새의 얼굴은 눈물 자국으로 얼룩졌다는 것을

그렇다면
남아 기다리겠다는 거미의 속은 얼마나 애가 타겠나
떠나가는 새벽은 알지 못하네
이별을 애써 부정하는
다시 돌아올 거라 약속해달라는
거미의 집에 걸린 이슬은 그의 눈물이라는 것을.

기다립니다

누군가를 기다려 사랑하는 일은
정처 없이 역 근처를 배회하는 일이다

오겠다 기약한 이가 언제 오나, 하며 입구 주변을
기웃이굿 서성이는 일이고

숨을 헐떡이며 뛰어오고 있을까,
늦장 피우고 있는 것은 아닐까,
걱정하는 일이다

늦게라도 좋으니 부디 나오길 기대하는 일이며
끝내 모습을 드러내지 않을까, 하며 가슴 졸이는 일이다

누군가를 기다려 사랑하는 일은 꼭 그런 일이다.

인내의 꽃

동백꽃은 겨울을 기다립니다
꽃들이 싫어하는 겨울을 굳이 고집해
피우는 동백꽃의 그대는 알고 계시나요

그대, 내게 기다리지 말라고 하셨나요
동백나무의 아름다움은 기다림에 있습니다
봄, 여름, 가을을 기다려
꽃을 피우는 동백나무는 삭막한 겨울을 화사하게 만듭니다

굳이 당신을 고집하는 이유
구태여 당신을 기다리는 이유
붉은 인내의 꽃을 피우기 위함입니다.

강물을 거스르는 일

때론 연어를 선망했습니다
거센 강물을 거슬러 올라가는
밀어내도 기어코 다가가고 마는
연어를 선망했습니다

선망한다는 것은 되고 싶다는 것
되고 싶다는 것은 목하의 난 아니라는 것

아, 난 그대의 뜻을 거스를 수 없습니다

연어처럼 생채기를 무덤덤하게 받아들일 수도
목숨을 대담하게 허공으로 던져버릴 수도
없음을 깨달았을 때

그대는 기다릴 줄 모르고
흐르고 흘러
내 곁을 떠나가고 있었습니다.

사계절

겨울에 그대를 만나서 다행입니다
더딘 늦봄에 만났더라면
봄꽃이 피는 것을 함께 볼 수 없었겠죠

겨울에 그대를 만나서 다행입니다
무더운 여름에 만났더라면
그대의 체온이 이리 따뜻할 줄 몰랐겠죠

겨울에 그대를 만나서 다행입니다
낙엽이 지는 가을에 만났더라면
갈바람에 마음이 채 열리지 않았을 테니까요

겨울에 그대를 만나서 다행입니다
사계절 중 그대가 가장 기다린 계절에
내가 함께 있을 수 있기에

겨울에 그대를 만나서 참 다행입니다.

기다리고 있으므로

목련의 임이 봄이라면
봄은 목련에 있어서 유일한 계절입니다

가로등의 임이 아침이라면
아침은 가로등의 뜨거운 낯을 식히는 존재입니다

풀꽃의 임이 먹구름이라면
먹구름은 풀꽃의 목을 축이는 어둠입니다

모두 기다리는 임이 있습니다
없이는 도무지 살 수 없는
목이 빠져라, 기다려야 하는 이유가 분명한

나의 임이 그대라면
그대는 내게 꼭 다시 보고 싶은
반드시 만나야 하는 삶의 이유입니다

나도 기다리는 임이 있습니다
목이 빠져라, 기다리고 그래도 오지 않아
가슴이 잿더미가 되어서도 보고 싶은 임이.

존재의 의미

누가 그랬다
남지 못한 것은 기억할 만한 가치가 없기 때문이라고

내가 그댈 위해 지금껏 쓴 수많은 시가
무슨 의미가 있겠는가
네모나 전자판 위로
그대만을 위한 나의 흔적
잠시 머물다 사라졌다

아무리 기다리고 기다려도
잊힐 것은 잊힌다
긴 기다림이라고 더 오래가지 않는다

무덤 위에 핀 잡초는
누구의 마음도 훔치지 못해
이름도 없이 사라졌고
수많은 예술가의 습작은
누구에게도 울림을 주지 못했기에
작품이 되지 못하고 사라졌다

내 시, 그리고 너 또한
그대의 마음에 남지 못했기에
긴 기다림이 무색하게 사라져 버렸다.

짝사랑

저는 밤이 오길 기다리는 귀뚜라미처럼
그대의 연락이 오길 기다려요
저는 온종일 그대 생각인데 그대는 어떤가요
제 생각 한 번쯤은 할까요.

다가오시나

아침에 눈을 뜨고 싶은 이유가 그대라고 하면 믿으실까요
그대가 일어날 때까지 저는 생각해요

하누는 제비꽃으로 다가오셨다가
또 하루는 동백꽃으로 다가오셨다가
일전에는 목련으로 다가오신 그대

아아,
다음날을 기다리는 이유가 그대라고 하면 믿으실까요

내일은 어떤 모습으로 다가오실까
모레는 어떤 모습으로 다가오실까
먼젓번처럼 민들레로 다가오시려나.

기다림의 비애

저를 슬프게 하는 것은
물 위를 걸어보라는 말도 아니고
밤하늘에 수 놓인 별을 따오라는 말도 아니었습니다

그대가 걸어보라면 걸을 테고
그대가 따오라면 따올 수 있습니다

저를 정녕 슬프게 만드는 것은
제가 물 위를 걷는 동안
그대의 시선이 저를 향하지 않을 것을 알기 때문입니다
제가 별을 따러 다녀오는 동안
그대가 날 두고 떠날 것을 알기 때문입니다.

기다리면

기다리면
끝이 있으리라
그렇게 믿는다

매 순간 인내하면
익숙해지는 순간이
온다, 그렇게 믿는다

누구는 이런 나를
미련하다 할지라도
기다려야 한다

기다리면, 또
기다리면, 꼭
돌아오리라
그렇게 믿는다.

사랑할 수밖에 없어서

너는 곁에 남지 말라고 했다
네가 내 아픔의 원인인 것 같다고

그래, 내 아픔의 근본은 너다
기다리기만 하라는 네 태도와
다가왔다가 멀어지기를 반복하는
그 애매한 하루, 모든 근본은 너다

그럼에도 네 곁에 남아있는 이유는
아파하는 이유가
널 사랑하고 있다는 분명한 증거이기 때문이다.

이별이 남기고 간 것

내 모든 것을 건넨 사랑은 해로웠다
없으면 불안하고, 있으면 더 불안한 그런 사랑
모든 사랑을 내어주어도 아무것도 돌려받지 못하는 사랑

몇 잎 안 남은 마른 나뭇가지에 바람이 들 듯
다 주고 나니 남은 게 없어 미풍마저 시리게 느껴진다
문득 윤동주의 시가 떠오른다

잎새 이는 바람에도 나는 괴로워했다...

어떻게 사랑이 그래요

어떻게 사랑이 그래요
접으라고 마음대로 접히지 않는데

어떻게 사랑이 그래요
힘들지 않을 정도만 그대를 추억하는 게

어떻게 사랑이 그래요
자기 품 떠나서 행복하게 살아 라고

서로 이렇게 힘든데 잊고 살자니
어떻게 사랑이 그래요.

봄비

환절기에 비가 내리고 나면
날이 풀린다고 합니다
조용히, 또 가늘게 내리기 시작하면
새 계절이 찾아온다고

지금 내 마음에 비가 옵니다
고요히 비가 내리는데
그대는 기다리고 있나요

부디 있어 주세요
이 비가 그치고 나면.

여름에 겨울을 씁니다

여름이 되어야 겨울을 씁니다
지나고 나서야 그리워하고 마는
이 땀내 나는 설움을 매번 느껴야 했습니다

무거운 공기가 두 손으로 제 숨을 막으면
그제서야 겨울의 가벼운 공기를 소중히 생각했습니다

떠나버린 것을 차마 그리워하지 않기로 다짐한 적도,
이미 돌아서버린 것을 붙잡지 않기로 한 날도 있었습니다만
제 삶은 늘 후회투성이였습니다

그대도 마찬가지입니다
그대가 떠나고 나서야 그리워합니다
이젠 붙잡으려 해도 잡을 수 없는 그대여.

아픈 것은 겨울이 아니다

아픈 것은 겨울이 아니다

비염 때문에 연신 코를 훌쩍이는
사소한 네 습관이다

흰죽을 좋아하던 네 입맛이다

또 코를 움찔거리며 안경을 추켜올리던 네 습관이고
너와 함께 보내던 12월이다

흑갈색 눈으로 날 그윽하게 바라보던 네 모습이고
내게 자신의 결말을 설명하던 네 입이다

마지막으로
그런 너를 어찌할 수 없는 나 자신이고
침묵할 수밖에 없는 내 현실이었다

그러니 아픈 것은 겨울이 아니다.

꿈 4

오늘 밤, 별을 세며 꿈에 대해 말해
3층 집에 조그마한 마당
그 위를 쏘다니는 강아지 하나
우리, 지금처럼 두 손을 마주 잡고
사랑을 속삭이겠지

서로를 닮은 아들, 딸을
품에 품은 채
저녁은 무엇을 먹을까
열띤 토론 하다 토라진 네 등허리
끌어안고 미안하다 속삭이겠지

저기 저 하늘 빛나는 별처럼
아름다운 꿈 하나 반짝이고 있겠지.

제비꽃

이름 모를 꽃이 내 가슴에 피었다
자주색 꽃이 작은 꽃이
자그마한 내 가슴에 피었다.

질문

제비꽃을 닮은 그녀가 묻는다

“왜 하필 나를 사랑해?”

강이 위에서 아래로 흐르듯
당연한 것을 묻는 그녀에게
미소로 답한다

제비꽃이 너라서 그렇다고
내 세상을 자색으로 물들이고 있어서 그렇다고.

미련

생이란
많은 것을 흘려보내는 일

난 지금껏 많은 것을 흘려보냈다
세월도, 시간도, 인연도...

흘려보낸다는 것은
순순히 받아들인다는 말이다
생에 저항하지 않고 동그마니 앉아
허망하게 쳐다보는 일이란 말이다

아, 그대를 만나기 전까지 내 생에 저항 한 번 하지 않았다
이번엔 그대를 흘려보내야 한다는데
그대만큼은 흘려보내는 일이 왜 이리 싫은지.

그대라는 존재

밤하늘은 수많은 별을 품고 있어도
하늘이 많이 남아 어둡지만

나는 그대 하나만 품고 있어도
내 하늘이 꽉 차
깊은 밤에도 대낮처럼 환하게
내 세상을 비추고 있더라.

이별이 아픈 이유

이별이 아픈 것은 그대를
사랑하지 못해서 아픈 것이 아니었다

내 안에 남아있는 그대를 애써
지워야 한다는 것
그렇게 아무 일도 일어나지 않았던 것처럼
살아야 한다는 것
그것은 내 생의 일부를 스스로 도려내는 일이므로

내 일부를 도려냈기에
곧 죽을 것 같은 아픔을 느꼈던 것이었다.

후회

오히려 내게 필요한 건 적당함이었을까요
적당히 다가가
적당히 사랑하고
적당히 이별하는
수많은 가벼운 연인처럼

서로를 위한 사랑인 줄 알았습니다
그대를 향한 마음을 절제하지 않고
쏟아지는 감정을 그대로
내보내는 것이

이런 나 때문에 그대가 힘든 줄도 모르고.

낯섦

어디로 가셨습니까
어제까지 제 곁에 있었으면서
오늘은 왜 없습니까

오늘, 그대 대신 다른 사람이 저를 만나러 왔습니다
익숙한 옷차림, 향기, 머리칼로 그대를 흉내내어
저를 만나러 왔습니다

왜 낯선 이를 저에게 대신 보내셨습니까
더는 제가 보기 싫으십니까.

닿지 못할 그대

심란한 마음을 달래려
오밤중 밖으로 나왔다
우리 동네는 자정이 넘으면
가로등 불이 자취를 감춘다
별이 모습을 훤히 드러낸다

별
몇억 광년이나 떨어진 저 별은
그대와 닮아 있다

밝게 빛나고
눈에 담아두고 싶고
의미가 되고
떠 있고, 멀고
또, 또...

수많은 별 중 하나, 수많은 사람 중 그대
손에 잡힐 것 같아 팔을 뻗어본다

아아, 멀어서 닿을 수 없는
가까이 빛나지만, 결코 닿지 못할 그대여.

그대 앞이면 난 왜

그대와 카페에 앉아 얘기를 나누다 그만
커피를 쏟고 말았습니다

흥건해진 바닥을 닦으려 고개를 숙이다 그만
머리를 탁자에 부딪히고 말았습니다

아, 부끄러워라
그대 앞에선 왜 자꾸 바보 같은 실수를 하는지

침착하지 못한 사람이라고
생각하면 어쩌나

부디 오해하지 않았으면 좋겠습니다.

착각

사랑하고 싶다는 잉꼬야
사랑하면 또 상처받을 줄 알면서
모든 것을 주고 또 외면받을 줄 알면서
다시 사랑하려는 미련아

외로움 하루, 그리움 이틀
견디지 못하고 저 같은
누굴 또 찾는 거냐

사랑하고 싶다는 잉꼬야
또 다른 누굴 사랑해야 잊힐듯하더냐
홀로 이 쓰린 겨울 견딜 수 없더냐
외로움을 사랑으로 착각하는 미련아.

작별

웃으며 작별 인사를 건넸다
마치 내일 다시 볼 듯
평소처럼 웃으며 보내는 편이 좋으리라

슬픈 이별을 하면 다신 너를 만나지 못할까 봐
웃을 수밖에 없었다

소나무가 저를 떠나가는 새를 향해
해맑게 손을 흔드는 이유는
마지막까지 새에게 좋은 나무이고 싶었기 때문이다
아침에 눈을 뜨면 새가 없어서 외로움에
몸을 흔들겠지만
끝까지 새에게 좋은 기억으로 남을 것이다
새는 나무가 들썩이는 것을 보지 못할 것이다.

사월의 밤

밤이면 하늘은 별이라는 꽃을 피우고
봄이면 대지는 꽃이라는 별이 난다

어느 순간부터였나
그대들의 마음에 무언가 자라기 시작한 것이

무언가를 속에 품은 기분은 어떠한가

자신을 내어주고
무언가를 품은 기분이

이제 봄이고 밤인데
내 안에는 그런 것들이 없다

내 하늘엔 별 하나 안 보이고
내 봄엔 꽃 한 송이 안 핀다.

기억해 주세요

많은 사람 중 그대를 사랑한 것은
그대는 내게 하나뿐인 존재이기 때문이다

특별한 순간은 많지만
그대와 쌓은 추억은 하나뿐이다

그래서 그대가 더 소중하고 애틋하다
내게 하나뿐이라.

그대가 내린다

그대가 내린다
덥지도 춥지도 않은
단풍처럼 물든 내 가슴에
그대가 내린다

또 한 번의 계절이 넘어가려나
그대는 내게 내렸고
감싸줄 잎 하나 없는 앙상한 몸뚱이만으로
난 이 계절을 버텨야 한다.

신천대로

신천대로는 늘 막힌다
저 멀리서부터 길게 늘어진 차들을 바라보며
나는 브레이크를
밟았다 떼기를 반복한다

차들은 애타는 내 마음을 아는지 모르는지
앞으로 나아갈 기미가 보이지 않는다

차들이 도로 위에 선처럼 쭉
늘어질수록
널 향한 생각이 길게 늘어진다

이 도로는 너에게 향하는 길과 닮았다
너의 마음은 저만치에 떨어져 있고
난 먼발치에서
뗐다 닫았다
뗐다 닫았다
언제쯤 도착할지.

사랑을 심어요

내 가슴에 넓은 땅이 있다
난 널 심고 땅은 널 품고
물을 줘도 자라지 않지만

난 심었다
자라지 않으면
그저 묻어둘 심산으로.

덜 아프고 더 행복하길

그대가 덜 아프고 더 행복했으면 좋겠어요
안 아프고 영원토록 행복하길 빌어주고 싶지만
분명 기쁜 날이 있다면 슬픈 날도 있는 것
그것은 어찌할 수 없어요

그러니 저는 오늘도 이렇게 빌게요
그대가 덜 아프고 더 행복하길.

그대가

그대가 내 꽃이면
그대가 장미일지라도 기꺼이 내 살과 혈을 나눠주겠어요

그대가 내 새벽이면
그대와 함께 깨어있겠어요

그대가 내 아픔이면
그대가 지나간 자리의 상흔마저 남겨두겠어요

그대가 내 이별이면
그대를 알 수 있었음에 감사하며 받아들일게요.

상사병

열이 난다
한여름도 아닌데 내 몸이 불덩이처럼 열이 난다

일이 손에 안 잡힌다
할 일은 한껏 밀려있는데 일이 좀처럼 손에 안 잡힌다

심장이 빠르게 진동한다
문득 네 생각이 날 때마다 내 심장이 빠르게 진동한다

하염없이 기다린다
올지 안 올지 기약도 없는 그대를
난 하염없이 기다린다

사랑한다
너에게 부족한 나지만 널 사랑한다

널 사랑하나 보다
병이 나서라도 네 걱정을 원하는 내 몸을 보니
널 너무 사랑하나 보다.

부슬비

비가 오네요
흐린 하늘에 부슬비가 가늘게
내리고 있어요
이런 날이면 잊겠다 다짐했던 의지가 구름에 가려진 듯
그대가 떠올라요
그대가 좋아할 텐데
같은 하늘 아래에서 그대도 보고 있을까요

오늘 흐린 하늘에선 부슬비가 내리고
그대 생각이 나고
내 가슴이 촉촉이 젖어가요.

회상

밤이 되면 하늘에 별이 뜹니다
하늘도 추억하면 눈물을 글썽이나 봅니다

밤이 되면 내 눈가에도 별이 맺힙니다
그대를 추억하게 되므로.

김동식______

『그대 머문 사계에서』

돌고 도는 계절에서
이 한 마음 모두 쏟아 부어 사랑했고
눈물샘이 고장 난 듯 울며 아파했습니다.

사랑과 이별로 생긴
이 빈자리마저
소중하게 여겨지는 날엔
성장했다고 말 할 수 있길 바라며
서툴지만 이 시를 바칩니다.

2022. 봄에

내가 봄이 되어

지금껏 네가 꽃이었으니
이제는 내가 꽃이 되어
너에게 다가가겠다

살랑이는 벚꽃잎이 되어
너의 조그만 머리 위에

유유히 날갯짓하는 나비가 되어
너의 맑고 예쁜 눈에

누구라도 사랑하고 싶은
봄기운 가득 안고
내가 봄이 되어
너에게.

민들레

혹여나 나를 봐줄까
길모퉁이서 자그맣게
그대를 바라봅니다

이 한 몸 죽어서도
자유로운 꽃씨 되어
그대 곁으로 날아가겠어요

그대만을 사랑한
민들레 한 송이가
여기에 있었다고.

목련

어찌 보면 저의 사랑도
목련 같은 것이겠지요
밤이 되어도
새하얀 색으로 밝게 피어있는
그 순백의 사랑
그대에겐 목련이고 싶습니다
언제나 밝은 목련이고 싶습니다.

너는 꽃길

내 가는 길
걸음걸음
예쁜 꽃 피워주는
네가 참 고맙다

너 가는 길에도
알록달록
한아름 예쁘게 채울 테니
앞으로 꽃길만 걸으며
행복하자
오래.

봄나들이

무엇이 행복이더냐
돗자리 하나 깔고
봄 향기에 취해
너와 등 맞대고 앉아만 있어도
이 봄의 행복
다 챙긴 게 아니더냐

노란 개나리 주워다
너의 머리칼에 꽂아주고는
꽃이 여기 있다
사르르 번지는 너의 그 미소
봄이 여기 있다
봄나들이에서 피어나는 사랑
참 예쁘다 우리.

봄비

봄비가 내게 말을 건다
많이 힘들었지
나를 봐주지 않을래
고요한 비의 선율을 느끼며
봄비를 바라본다
말라가는 내 마음 위에 톡 톡
빗방울이 건네는 부드러운 위로
너는 어찌 이리 상냥한가.

벚꽃의 작별

한평생 예뻤으니
이제 그만 괜찮다
바람이 아니어도
비가 아니어도
사랑스러운 잎들을
알아서 벗어던진다

나는 저 벚꽃처럼
미련 없이 작별할 수 있는가.

흰나비

하얀 매화가 수줍게 고개 내민
따뜻한 봄날을
나풀나풀 날갯짓하며 누비는 흰나비야
네가 가져온 소식이 희소식이거늘
들꽃 옆에서 살랑살랑 춤을 춰다오.

나비야 흰나비야
네가 가져온 소식이 비보이거늘
병든 내 가슴 위에 살포시 앉았다 가거라.

느긋이 흐르는 시간 속
바쁘게 날아가는 흰나비
네가 가져온 소식이 무엇인지 알지 못한 채
너는 또 누구의 소식을 전하러 가느냐.

그건 너만이 알고 있는
새하얀 비밀이겠지.

그 봄은

그 봄은 참 나쁩니다
내 아픈 줄 모르고
눈치 없이 또 그렇게
희망을 노래하며
사랑을 속삭이며
제게 다가옵니다

그대 없는 봄이
어떻게 봄이라 부를 수 있습니까
차디찬 겨울보다
제 마음 간질이며 흔드는
그 봄이 참 나쁩니다.

벚꽃잎 떨어질 무렵

벚꽃잎 떨어질 무렵
네 생각 더욱 짙어져 간다
늦은 봄 향기 속
혹시 네가 있을까
미련하게 나는 또 찾고 있네

목숨 다해 떨어진 벚꽃잎은
너와 나눈 사랑처럼
빗물에 흠뻑 젖어도
사람들 발에 밟혀도
그 모습 아름답다

네 소식은 묻지 않겠다
아프지만 고운
이 연분홍빛 색은
나 혼자만 품고 갈 테니.

소라

빛바랜 추억이 데려다준
이름 모를 바다
파도가 지나간 자리에
혼자 남은 소라 껍데기 하나 주워
귓가에 갖다 대어 본다

언제 네가
이 바다를 왔다 갔을까
그리운 네 목소릴
이 소라 껍데기에 담아 두고 갔네.

소나기

너는 소나기였다
느닷없이 찾아와
내 마음 다 적셔놓고
홀연히 가버린 사람아
사라지는 건 한순간이겠지만
다 마르지도 않은 내 가슴
누가 책임지나.

장마

잿빛이 된 세상 속에
서서히 잠긴다
하늘은 누굴 혼내시려
거센 비를 퍼붓네
내리는 비는 마치
내 너를 잃어 흘리는 눈물
너도 내 생각에
이 비와 같이 울고 있는가
그칠 생각 없는 비
네 생각도 그치질 않는다.

여름밤

모래알 수놓은 하늘 아래
숨어있던 풀벌레들이
나지막이 운다
너희도 나처럼
잠 못 이루는 밤이구나

나는 무엇이 되려나
착 가라앉은 마음에
연신 한숨만 푹푹
서늘한 달빛 속에
숨죽여 우는 밤.

노을

그 언젠가
나의 마지막도
지는 줄 모르고
끝까지 불태우는
노을이고 싶어라.

하루살이

하루만 산다 해서
하루살이더냐
하루만 살기에
그리 열심히 날갯짓하는구나
나는 목숨이 길어
이리 게을렀던가
너희라도 열심히 살아라.

여름처럼

여름처럼 사랑했다
불볕더위 못지않게 뜨거웠던
너의 포옹에 녹아내려도 좋은
그런 사랑.

네가 있다면 여름도

네가 있다면 여름도
분명 행복한 계절
푹푹 찌는 무더위 속
너랑 나눠 먹는
아이스크림 하나에
어린애같이 귀엽게 웃던
네가 있으니

제법 걸었을 법한 날에도
짜증 내지 않고
내가 있다면 어딜 가도 좋다는
그런 네가 있으니
어떻게 이 계절을
사랑하지 않을 수 있을까.

수국

희게 피면
그대 나를 봐주나
푸르게 피면
그대 나를 봐주나
고개 들어 기다려도
그리움만 짙어져 가고
분홍빛으로 피면
이 여름이 가기 전엔
그대 나를 봐주나.

바닷가에서

바닷가에서
너를 보고 있노라면
이 푸르고 넓은 바다는
너와 같다고 말하겠다

잔잔한 물결 일렁이며
모든 걸 품에 안을 듯한 바다는
너라 부르고
나는 그런 네게 밀려오는
파도가 되겠다

바닷가에서 우리는
바다가
파도가 되어.

가을바람

어차피 흔들릴 마음이라면
그 굳센 억새들도
부드럽게 어루만지는
선선한 이 가을바람이 그대라면
내 마음 기꺼이 흔들리겠소
나 기꺼이 그대와 함께
바람 타고 떠돌겠소.

귀뚜라미

밤만 되면 풀 속에서
귀뚤귀뚤
들려오는 울음소리
너는 어떤 이별을 했길래
그리 서글피 우느냐.

낙엽비

나뭇잎 한둘씩
내 머리 위로 내린다
위에서 못 찾은 사랑
아래서는 찾겠지
낮게 깔린 나뭇잎들을 밟자
바스락 소리에
보고 싶다
또 한 번 바스락 소리에
사랑한다.

낙엽

한껏 성난
가을바람 눈치 살피며
굴러다니기 바쁜 낙엽 하나가
열어둔 창문으로 들어와
내 방 한구석에
살포시 앉는다

안심하거라
여기선 누구도 네게
해코지하는 이 없으니
이리저리 치이느라
닳은 몸과 마음을
편히 쉬이거라.

천일홍

사랑하는 사람아
피어있는 동안
변함없이 어여쁜 저 꽃처럼
너와 나 살아있는 동안
그 사랑 색 변하지 말기를

천일의 기다림으로 피워낸
곱디고운 꽃잎
네 수줍은 미소
네 발그레해진 두 볼로
붉게 물들리

가을 햇살 내리 맞으며
저 아름답고 고결한
천일홍 꽃밭 속에
너와 나 녹아들고 싶다.

가을 아침

눈 부신 햇살이 쏟아지는
어느 가을 아침
산뜻한 바람에
나부끼는 꽃잎들이
사랑이 온 줄 알고
춤을 춥니다.

시인

이 가을엔
시인이 되고 싶다
말라 부서지는 낙엽까지
사랑하는 마음으로
시를 써야지

이 가을엔
시인이 되고 싶다
오색 빛 찬란한 너를 위해
노래하는 마음으로
시를 써야지.

가을 사랑

우리의 사랑도
우여곡절이 많았지요
길고 긴 장마와
거센 태풍이 지나간 자리에
서로 더욱더
사랑할 수 있도록
가을처럼 익어갔으면 좋겠어요.

코스모스 꽃밭

코스모스 한가득하다
너를 생각하면
아직 나는 분홍빛
부끄러운 내 마음에
한 송이 피어나고
좋아해
가슴 설레는 한 마디에
또 한 송이 피어나고
아, 그렇게 꽃밭
코스모스 꽃밭이구나.

가을 같은 사람아

그대 내게
여운만 남긴 채 가버렸네
그래서 더 보고 싶은 사람아.

눈꽃 사랑

햇살 두려워 않고
밤새 아름답게 꽃 피우는
눈꽃의 마음으로
당신을 사랑하겠습니다

이 세상 곱게 쌓인
하얀 설렘 가득 안고서
내 사랑 당신에게.

첫눈으로 쓴 편지

매년 겨울
첫눈이 내릴 때면
새하얗게 편지를 써요
그대 있는 곳에도
눈이 내리는지
그대와 함께 맞는 눈이었다면
더 좋았을 거 같다는
그런 얘기를 종종 해요

올해 겨울에도
어김없이 그대만 불러요
언젠가 내가 그대에게 갈 때는
이런 첫눈 같았으면 좋겠어요.

반달

겨울밤 하늘에
곱게 걸린 반달 하나
너 있는 곳 어둡지 말라고
반쪽 두고 왔단다
그래서 더 사랑스럽구나

겨울 냄새

코끝에서
겨울 냄새가 난다
길거리를 걷다가
너와 자주 사 먹던
따끈한 붕어빵의 냄새

얼었던 몸 녹이러 간
동네 단골 카페의
은은하고 달콤한
차 한 잔의 냄새

추위 매서운 날
품에 너를 안고
서로의 온도를 고스란히 느꼈던
그 따뜻한 포옹의 냄새

이 계절만이 주는
포근하고
정겨운 냄새.

크리스마스

반짝이는 트리 앞에
두 손 모아 기도하네
저마다 안고 있는 고독을
부드럽게 안아줄 수 있는
따뜻한 크리스마스가 되길

은은하게 울려 퍼지는
구세군의 종소리가
우리를 축복하네
눈이 쌓여가고
겨울이 쌓여가듯
온정으로 가득 쌓여
누구나 이 계절을
사랑스럽게 기억되길.

백야

사랑은 그렇다
하얀 백합 수
놓은 하늘 아래
저물지 않는 밤에 젖어
너와 함께 나란히 걷는 것
소복이 쌓인 눈 위
네 이름 하나 새기며
백야를 꿈꾸었다.

극야

내게는 가끔
깨고 싶지 않은 밤이 있다
내 불안과 걱정 모두
이 밤 속에 묻혀 잊히기를
날이 서서히 밝아오면
나는 또다시.

그해 겨울

추위 무서운 줄 모르고
겁 없이 불타올랐던
그해 겨울

소복이 쌓인 눈처럼
예쁘게 사랑했지만
결국 흔적도 없이
녹는 눈인 것을

마른 가지들이 떨며 운다.
유독 춥던
그해 겨울.

눈사람

만들 때는
정성이었을 것이다
예쁘게 더 견고하게
하지만 그 정성 끝엔
언제나 이별이

홀로 남기 마련이다
눈사람도
나도
손길 주던 이 없어지니
그 자리에서 덩그러니.

겨울나무

너는
헐벗고 있음에 불구하고
몇 겹 껴입은 나보다도
강해 보이는구나
매서운 추위에도
이렇게 굳센 너 이기에
봄이 찾아오는 거일 테지
삶 역시 그런 거일 테지.

이하림______

『삶이라는 기억』

세상을 살며 단둘이 있어야 한다면
그것이 책과 아이들이기를
세상을 살며 누군가의 죽음의 순간을 대신 할 수 있다면
그것은 우리 아이들이기를.

나의 가장 예쁜 것을 아이들에게 나누고
나의 가장 찬란한 사계질을 글에 남겨두는 것.

이것이 내가 택한 가장 깊은 사랑의 순간이다.
깊은 사랑의 순간이 왔을 때 비로소 말할 것.
남김없이 모두 말할 것.

모두를 사랑한다고,
사랑이 절실한 시대에 살아가고 있는 우리에게.

비밀

사랑이 아닌 사랑을 안다
안다 말하는 사랑에 대해 의심을 둔다

어둠이 가득한 어둠을 안다
안다 말하는 어둠에 대해 깊숙이 걸어간다

가보지 않은 길을 가는 이를 안다
뒤돌아서 가는 이의 뒷모습은 검은 어둠에 남겨둔다

사랑이 아닌 사랑이 여기 있네.

열대야

하얀 설움이 가득한 때를 그리워한다
다 지나가겠지

아지랑이 가득 피던 한 오후를 기억한다
다 지나가긴

눈 감았다 뜨면 되돌아오는
시린 아침에서

아, 다시.

파벌

우린 어떻게 만나 어떻게 집을 이루었나

대답 없는 질문이 가득한 우리다

어쨌든 만났으니 걸어간다
어쨌든 함께하나 색깔이 같은 이가 있다

손을 잡아 이끈다
개중 누군가는 후회할까 싶지만

후회도 소용없는 우리다

쓰디쓴 초록과
달콤한 바늘이 만나
무엇을 만든다

소용없는 우리라도 어떻게든 만든다.

우리 모두의 한 때

손을 흔들고
한낮 더운 여름 바람에
기쁨을 내린다

주저 없이 입이 크게 벌어질 때가 있다

때때로 스스로를 모르지만

하얀 도화지에
어떤 색의 물감하나
톡 번진 그들은 안다

사랑에 사랑으로 말하고
슬픔에 슬픔으로 말하며
네모를 네모라 말하는 이들.

이건 뭐지 싶다가도

불안해 잠들지 못하는 순간이 있다

눈이 사르르 감기며 잠드는 순간이 있다

돈이 무엇인가 싶다가도
돈이 무엇인지 알겠다

생활 곳곳 삶의 알람이다
울리는 소리는 나만 들린다

초능력인가 싶지만
어둡고 깊은 현실의 능력이다

초가 타 내려가듯
깊고 빠르다

타고 남은 초는 접시 가득
머물러있고 다시 피우기 어렵다

피우기 어렵지만 그대로 둘 순 있다
되돌리진 못하지만 두고 볼 순 있다

무엇이든 남는다 그게 무엇이든.

뾰족하고 작은 유리병

아주 작은 유리병에서
뾰족한 목숨이 살아난다

살아난다 믿어 살아난다
누군가는 믿음에 의지한다

작은 유리병에 의지해야 하는 게 삶이라면

다가올 계절엔 두려운 그림자가 가득할 예정이라고 한다.

아이

울음이 크다

저 멀리 들려오는 울음이 가까워진다

삭히는 울음에 익숙해진 탓인지
몸을 옥죄어온다

가까이 오던 울음이 잦아든다

터지는 울음에 익숙해진 탓인지
온몸이 진동한다

울음에 이유를 묻는다
숨김없는 울음에 지나가던 마음이
뒤로 걷다가 사소한 기둥에 부딪힌다

이곳은, 그들은
우리는 모두 한때

사소한 울음이 행복이었음을.

무인 집

가장 불안했던 시절 만났던 이를 기억한다

되돌아보니 사시나무 떨듯 매 순간 그랬다
어둑하던 방에 잔잔한 조명이었다

나는 물었다

왜 아메리카노만 마셔?

그는 대답했다

입 안이 깔끔해서 좋더라

문을 닫고 나온 방엔 사람이 없다

그 앞에서 한참을 서성이다 문을 열었다
그 방에선 먹지 못했던 커피를 내린다

그날이 추운 겨울이었으니
따뜻한 커피를 내린다

이제야 알았는데
이젠 사람이 없는 집이다.

슬픔을 먹는다는 것

나와 같은 이
나와 같은 이가 있다 이 세상에

전혀 다르지만 같다는 걸 안다
우린 서로 그렇게 세월을 타고 순항 중이다

이 배는 슬픔 위에 있다
너무 같아 그 슬픔을 안다

모르고 싶은 순간엔 깊은 폭풍우가 몰아친다
창문을 열었더니 슬픔이 가득 묻는다

문을 닫아도 커튼을 쳐도
슬픔이 지워지질 않는다.

탄산같은 너

입에 댄 순간부터 가득 따가워

고통을 감내하곤 받아들이지

고통 뒤엔 달큼함만 남을까

미적지근해진 온도에 얼음 하나 구해 넣으면
다시 제자리로 돌아오나 봐

결국 녹겠지만
결국 다 섞이겠지만.

믿음이라는 거짓

마음엔 두 가지 길이 있다.
믿음의 길과 거짓의 길

믿음의 길을 택한 아이는
점점 커나간다

거짓의 길을 택한 어른은
점점 작아진다

그렇게 둘은
걷다 쉬고 걷다 뛰며
동그란 섬에 다다른다

믿음이라는 거짓.

깊은 우리 늙은 날

깊은 숲이 있다
그 길이 깊고 깊어 잘 가지 않는 곳이다
그런 숲만 찾다 보니 그런 길만 가게 되었네

검은 나무가 그 길을 걷고 걷다
하얀 기쁨을 만났네
하얀 기쁨과 검은 나무가 나란히 깊은 숲을 걷다
커다란 숲을 찾았네

커다란 숲엔 파란 가시덤불도 있고 샘물도 있었으며
땅속 깊이 숨겨진 푸른 사랑이 있었다네

땀 흘리며 사랑을 찾아 꺼내었더니
사랑이 말했네

오랜만이야.

적재함

가득 넣어두고 살지는 말자는 것
가득 담아 나누어주자는 것

가득 넣어야 담아줄 게 있다는 것

넣어본 사람이 줄 수 있고,
나누어 본 사람이 담을 수 있는 법

해보지 않아도 해본 것 같고
해봤어도 모르는 것 투성이니 이건 누가 알려주나

시간이 흘러 적재함을 열어보니 텅 비어 있더래.

잊어야 한다는 마음이면

잊어야 한다는 마음이면 잊진 않을래
곱게 가시를 걷어내어 키 작은 병에 담아 둘래

잊지 못할 바엔 기억하는 수밖에
기억의 공장을 멈출 수 있는 건 시간이라는 전원 스위치
일 뿐이니

그래, 잊어야 한다는 마음이면
그 마음으로 할 수 있는 것을 찾아

하루 그리고 일주일 일 년 그렇게 평생을 사는 것.

책갈피

매 순간 필요한 것들이 있다

삶의 매 순간 필요한 마음들이 있다

내 앞에 서 있는 그대가 언젠가 그때 모르게
사라져버릴 것을 알면서도 꽂아두는 검붉은 마음이란,

푸르른 사랑을 꽂아둘 순 없을까 하여
자주 묻는다
어느샌가 내가 조용히 눈 감은 그대 앞에 서
하염없이 아픈 빛을 내기 전에

검붉은 마음보단 푸르른 사랑의 책갈피를 꽂아두자.

서점에 쪼그려 앉기

가장 좋아하는 일과 가장 싫어하는 일을 떠올리자

싫어하는 것은 빠르고 좋아하는 것은 느리다
늘 그렇다

느리다는 말보단 천천히라는 말에 무게를 둔다
늘 그렇듯 천천히 떠올린다

천천히라는 단어를 눈으로 보고 싶을 땐
서점으로 향한다

서점으로 가 좋아하는 책장 코너 앞에 가
쪼그려 앉는다

싫어하는 마음에 치여 좋아하는 일을 떠올리는 건
안타깝지만 현실적인 회복의 과정임을 잘 안다.

글

행복하고자 하지 않을 때,
가장 욕심부리지 않는 순간을 만날 때

첫 순간이 기억나지 않을 때,
마침표 하나 찍고 후 숨을 내뱉을 때

그 모든 황홀함에 취해갈 때,

일이면서 일이 아닌 것.

안으로부터 탈출

밖을 좋아한다 말하기 전에

밖으로 향하는 이유를 살펴본다

밖으로 향하는 이유를 묻기 전에

안에 오래 머물지 않으려는 이유를 묻는 것이 좋겠다

모든 안은 밖으로 이어지니.

응, 나도 좋아해

모든 감정이 느리다.

그 중, 사랑이라는 것에 둔하다

충분한 사랑이 무엇인지 모르고,
안정된 사랑이 무엇인지 알지 못한다

사랑은 어른으로부터 배운다는데 아이들로부터 배운다

어른에겐 느린 사랑이 아이들에겐 번개처럼 빠르다

사랑이란 것에 정의를 내리기 전,
사랑하는 대상에 대한 정의가 중요하다

사랑하는 나의 아이들.

우리는 낭만을 가득히 담아

낭만이라는 건

깊은 마음에 있는 걸
남김없이 말하는 것

낭만이라는 건 어쩌면
깊은 마음에도 건질 수 없는 구멍 큰 그물에
일부러 걸려드는 것

그렇게 속는 셈 치고 매일 아프고, 매일 다짐하는 일.

함께하는 것

행복하자는 것보다 함께 슬프자는 것에 의미를 둔다

함께하자는 것

애초에 사랑의 순간을 찰나임을 아는 우린

수도 없이 가득한 슬픔의 순간을 함께하자 말한다

함께하자, 함께 슬프자.

독립

태어나 지금껏 가져보지 못한 공간에 대한 갈망은
매번 현실의 벽에 부딪혀 그 일을 가로막았고

그 갈망이라는 아이는 끝없는 분노로 변해
공간에 대한 환상으로 걸어가도록 손을 이끌었다

환상이라는 단어에 가장 가까운 게 독립이고
독립이라는 것을 이룬 지금 가장 가까운 것이 현실이다.

홀로 된다는 것

홀로 된다는 건 슬픔을 알게 된다는 것

홀로 살아간다는 건 겁이 많다는 것

굽은 등으로 혼자 걸어간다는 건
누군가 곁에 서 함께 걸어가길 바란다는 고백.

커피 (쓰고 달콤한 것)

커피를 맛보고 맛있다 느끼는 순간은
삶에 쓰고 아픔을 알게 된 것이고,

커피를 맛보고 달다 시원하다 느끼는 순간은
함께 마시는 이의 마음과 눈빛을 깨달은 때일 것이다.

봄

봄에 피는 꽃 중에 어여쁘지 않은 것을 찾아보자

봄에 피지 않는 꽃 중에 마음에 드는 꽃을 찾아내자

결국 우린 모든 계절에서 어여쁘고 소중한 존재였음을

봄에 한편에 서 있는 우린, 그 무엇보다 충분한 사이임을.

여름

한낮 여름의 달큰함과 쿱쿱한 냄새를 기억한다

사람의 달큰함과 공간의 쿱쿱함을 떠올리면
사람의 달큰함으로 공간의 쿱쿱함을 가려본다

세월이 지나며 아쉬운 것은
사람의 달큰함을 가리는 인위적인 향과
공간의 쿱쿱함을 없애는 에어컨이다.

세월이 지나며 서글픈 것은
지난날의 추억을 완벽히 재연할 수 없다는 것.

낙엽

가을이 오는 때는 알게 되는 건
달력이 아니다

매일 똑같은 출근길에 그저 걷다가
슬쩍 얼굴을 스치는 찬바람에 고개를 들었을 때
보이는 커다랗고 어두운 갈색 나무들이다

높고 파란 하늘에 함께 놓여진 가을 나무들은
슬며시 부는 찬바람에 여러 소리를 낸다

우리의 사계절은 듣지 못해도 볼 수 있게 하고,
볼 수 없어도 들을 수 있게 한다

그 계절 앞에서 우린 모두 공평하다는 진리.

눈 오는 시간

비가 오는 시간을 기다리는 사람보다
눈이 오는 시간을 찾아 기다리는 이가 많다

매서운 추위에도 낭만을 찾는 계절이 겨울이다

하얀 색깔의 정의는 어쩌면 흰 눈에서 시작된 것임을
우린 모두 알고 있는 것 같다

눈이 오는 소리와 눈을 밟는 모습
눈으로 만드는 동그란 사람의 형태는
말 그대로 따듯하다

그래서, 겨울의 다음 계절이 봄인지도 모를 일.

비 내리는 계절

비 내리는 계절에 걸어본 적 있는지
비 내리며 걷던 거리에서 걷다가
비가 그치며 무지개가 뜨던 행운을 만났던 적이 있는지

비 내리는 날에 만난 달팽이들과
비 내리는 날에 물결 따라 흘러가던 청둥오리를 가만히 서
본 적 있는지

비 내리는 날에 만난 모든 장면은
화창한 날보단 더 선명히 기억되며
순간이 오래된 테잎처럼 길게 늘어지곤 한다.

친구라는 것

온 마음 보단
누구에게도 털어놓지 못한 반쪽 마음을 나누는 존재

어디서도 나오지 못한 숨겨진 한숨을
주고받아 쉽게 내뱉을 수 있는 대상

나의 기쁜 일보단 슬픈 일에 떠오르며
너의 슬픈 일보단 기쁜 일에 수가 더 많길 바라는 그런 존재

너무 춥고 추워 눈물이 흐를 때, 담담히 휴지를 꺼내 손에
쥐어 줄 수 있는 그런 사람

이 모든 사람은 하나면 충분하다는 걸 알고
살아가게 하는 무엇보다 귀한 관계.

죽음

가까운 이의 죽음을 만난 적이 있는가
죽음을 만났다 말하는 건 죽음이라는 사람이 있는 것만
같아서이다

죽음이 또 누군가를 데려가려 천천히 걸어온다
나에게선 천천히 오지만 누군가에겐 빠르게 뛰어온다

죽음에게 말을 건다
언제 오는지, 어디서 만나는지

거뭇거뭇하고 깊은 수심의 얼굴인지
붉고 생기있는 어여쁜 얼굴인지

만난 이는 많지만
죽음을 만났다며 이야기할 수 있는 이는
이 세상엔 없다

깊이 있는 슬픔보단 얕은 슬픔으로
떠나가는 이에게 손 흔들어주는 것으로
감사 인사를 더하며 남은 이를 위로하는 것

그뿐.

기다리자

기다리는 것을 잘하는 사람은 없다
모두 참는 걸 잘하는 사람뿐.

참아야 기다릴 수 있다

말하기 전에 심호흡 한 번 하고
내가 하려는 말을 다시 생각하곤
내 앞에 서 있는 이 사람을 쳐다본다

아 그만하자 이 말은 빼자
이 사람을 위해서 아니 나를 위해서

결국 나를 상처 내는 건 나 자신이다

기다리며 다시 한번 기다리며 참아낸다.

어여쁜 마음

기다란 마음이 생각이 난다

어른이 보지 않는 순간을 보는 때가 있다

누군가에겐 다 그때가 있다는데
왜 그때는 모두 지나가기만 하는 건지
기억 깊숙이 남지 않는지

누가 그 마음을 훔쳐 갔는지 궁금하다
마음은 가져가도 기억은 남겨두지 그랬냐고 소리친다

그 마음을 갖지 못해 그때를 가진 이들을 자주 보고 싶었다
모두 같은 사람은 없다
다 다르고 그들이 가진 때도 다르다
도움이 필요하면 주고, 내가 필요하면 가져오고
솔직하고 강렬한 때에 만날 수 있는 행복은 단순하다

행복이 단순한 때도 다 한때 인 것을 알았다면,
내가 잘 알고 있었다면.

안전지대

마음엔 여러 신호등이 있다
신호등이 있는 곳엔 늘 도로가 있다

어느 한적한 도로를 달리다 보면 만나는 멋진 풍경이 있다
그 풍경 곁에 어떤 이가 서 있다

여자는 어떤 이를 보자마자 두 걸음 물러난다
도로와 신호등은 있지만 안전지대는 없는 이 마음엔
물러나는 것만이 안전함을 준다

물러서는 걸음보다 다가오는 걸음에
더욱 용기를 내는 것은
안전지대 없는 이가 많음을 알기 때문이다.

때론, 물러서는 걸음에도 용기가 필요하다는 것을
알리고 싶기도 해
물러서는 그 마음에도
백 번의 울음이 필요하다는 것 말이야.

태어나 사랑을 얻었네

잦은 웃음이 없는 사람의 삶엔
어떤 행복이 있나 깊이 생각하면

그 곁에 있는 이를 떠올린다

곁에 있으려 선택한 삶이 아닌
태어나 지금껏 지워지지 않는 손가락의 옅은 색 점처럼
그 흔적이 세월을 따라 가만히 그 곁에 남아
웃음을 가져다준다

누군가 떠나는 것을 떠올리면
슬픔을 넘어선 두려움이 떠오르는데
그 두려움을 이겨내고자 선택한 방법이
홀로 살아보는 것이었다

엄마는 나에게 가장 큰 웃음이며
삐그덕거리는 세 다리가 아닌
두 다리로 우뚝 서게 하는 사랑이다.

변해가는 등과 낯선 남자

슬픔이 사랑이 되는 순간을 안다

어떤 이의 앞모습을 보기 싫어 고개를 푹 숙여 걷다
세월이 지났네

지나간 세월에 아쉬워할 틈 없이
그의 뒷모습을 보았네

터벅터벅 걸어가는 그 발소리에 한참 고개를 드니
한낮 여름 볕에 달궈진 까만 도로에 피어나는 아지랑이가
두 발을 달고 걷고 있었네

변해가는 등과 낯선 남자의 모습을 볼 때면
난 그 슬픔에서 사랑이 있음을 느낀다

아빠는 나의 슬픔이자 사랑임을.

가장 오래된 나의 어린 친구

여전히 나에 곁에서 가장 어린 나의 친구

가족이라는 이름 아래 꾸려진 나의 가족보다
그 정의가 더 어울리는 이 아인

우울한 나를 건져내고
행복한 나와 함께하며
불행한 나와 그저 나란히 걷는다

그 모든 불행에 늘 함께 했음을 알기에
불행을 말하는 그 모든 순간이 죄스럽다

그럼에도 불구하고 나도 이 아이의
모든 불행에 늘 함께하고 싶음을 욕심낸다

고맙다는 말로는 턱없이 부족한
나의 지난 13년
그리고 살아질 미래에 꼭 그리곤 하는
이 친구와의 나의 할머니 얼굴

많이 웃자, 그리고 건강하자!

한없이 약해지는 존재란

무엇보다 깊은 고마움의 존재는
잘 커 주어 감사하기보다
아직 살아 있어서 감사하다는 게 맞겠지

살아 있는 게 기적인 요즘 생엔
살아있음을 확인하고,
되물으며 그렇게 하루를 지내곤 한다

생에 어떤 지점도 우리의 이별을 예상할 순 없겠지만
그래도 가끔 간절히 기도해본다

작고 예쁜 아이들만은 데려가지 말라고
이것보다 생의 길이가 길었으면 좋겠다고
수 없이 주문을 외운다

내가 그 이별을 대신 할 수 있다면 좋겠어.
사랑해 그 무엇보다.

책 그리고 향기

다가가는 것에 대해 갈망하면서도
다가오는 것은 주저하길 바란다

다가와서 얻는 슬픔보다
다가가서 얻는 기쁨이 더욱 편하다

선택적 흥미에 마음을 두고
선택할 수 있는 수많은 것에 감사하며

그렇게 홀로 살아가는 것

그 누구에게도 상처받지 않으리라 다짐하면서
때론 상처받기 전 그 어떤 마음을 나누고 싶다
생각하면서 떠올린 두 가지 습관은
수많은 책 중에 그 한 권이고
수많은 냄새 중에 그 향기이다.

남겨진 나의 몫

매일 아침 출근길에 보는 뉴스엔
남겨진 몫을 떠올리는 이야기가 가득하다

나를 살게 하고 그들을 데려간 이유는
무엇일까 한참을 아파하고

그들을 데려가고 나를 이 못난 곳에 둔 이유는
무엇일까 한참을 괜스레 고민한다

남겨진 나의 몫에 가장 큰 의미는
시간이고 사람이고 세상의 그늘진 어느 부분이다

누군가가 남겨준 몫을 떠올릴 때면 생각한다
대신 행복하기보다는
대신 기억하자는 것.

하구비______

『사진을 볼 때면 어느새 울고 있는 당신에게』

별 볼 일 없는 소년이
특별한 당신에게

사랑과 위로
살며시 얹어 보냅니다

어젯밤, 당신이 그리던 선물처럼.

넌 사랑받아야 해

따스한 햇살이
잘게 부서지는 건
너를 맞이하기 위해서

하얀 구름이
뭉게뭉게 떠다니는 건
너의 마음을 두둥실
채우기 위해서

노을이 동백처럼
불그스레 피는 건
너의 미소를 보기 위해서

달과 별이
은은히 빛나는 건
어두운 밤
너의 친구가 되기 위해서

예쁘다

하늘 구름 해달별
바다 파도 윤슬
나무 꽃 나비
너 나 우리

꾸밈없이도
어여쁘다

너

해도 좋다
달도 좋다
별도 좋다
꽃도 좋다

같은 한 글자라면
너가 제일 좋다

사랑이란 편지

끄적이다 지우고
빗금 치다 찢기고
끄적이고 지우다

수많은 문장 담긴
편지 내려놓고

은은히 붉은
꽃 한 송이 그려
보낸다

너의 이름

불러보니 사랑이더라
들어보니 사랑이더라
쳐다보니 사랑이더라
빠져보니 사랑이더라

너의 이름
그래, 사랑이더라

별

별밤, 별빛, 별꽃

별은 반짝여서
어느 곳에 있어도
예쁘다

너도 그러하다

결국, 널

뜨거워도
차가워도
미지근해도
사랑이다

끝에 네가 있어
사랑이다

결국, 너라서
사랑이다

속삭임

참 예쁘다
참 사랑스럽다

흔하디 흔한 문장
너에게 닿으려나

소곤소곤

속삭여본다

너와 같다

드문드문 눈가에 선하던
봉숭아 네가 좋아
고이 빻아서 돌돌 말아
손톱을 물들이려 했다

10분 20분 30분
조금만 더

어느덧 분으로
매길 수 없는 시간 앞에
온통 물들어버린
내가 서 있었다

저녁노을

낮이라 부르기에도
밤이라 부르기에도
애매한 나에게

동백처럼
불그스레한 너는

슬며시 다가와
나를
저녁이라고 불러주었다

혹여나, 어쩌면

걷다가 가끔
남몰래 옆을 본다

그러다 멈춰서
기다려본다

혹여나 느린 네가
쫓아오고 있을까

한걸음 뒤에서
어쩌면, 어쩌면, 어쩌면

결국, 사랑

그놈에 사랑
사랑 아니면 시를 못 쓰나

사랑, 잠시 내려놓고
쓰려다 보니

결국, 사랑을 놓지 못할
시라는 걸 깨달았다

별, 별, 별

별 하나에
웃음 짓고

별 하나에
사랑하고

별 하나에
꿈을 꾸고

별, 별, 별

꽃 한 송이

땅은 가슴 깊이
씨앗을 품고

하늘은 정성 모아
비를 내려 주고

태양은 온몸으로
햇살 비춰주어

사랑 먹고 자라난
꽃 한 송이

우리와 닮아
참 어여쁘다

안녕, 봄

봄이 오려나

시린 듯
보드라운 향기

실바람 따라
코끝, 살짝 내려
간지럼 태우네

매화

한참을 바라보다
숨죽여 울었다

떨어져 가는 낙엽 사이
하나둘 지켜본 생명이기에

날 선 눈보라 속
홀로 견딘 생명이기에

그럼에도
꽃을 피운 너이기에

거울에 비친

행복해하는 널
웃으며 바라보고

꿈을 꾸는 널
하늘 높이 올려보고

누가 더 빠른지
알고 싶다는 널
꼭 안아주고

널 보며 난
아플 때도
아쉬울 때도
있지만

그래도 너라는
아이가 참 사랑스럽다

벚꽃

꽃이 지고
가슴이 두근거리고

꽃이 닿고
눈빛이 달콤해지고

꽃을 밟고
발자국이 예뻐지고

너의 손을 잡고
너를 보고

풍선

삶이 고될 때
후우 불어라

그렇게 차고
차오르면

언젠가 하늘 높이
날아올라
그 무엇도 잡지 못할 테니

봄비

하염없이 걷다
올려다본 하늘

눈 마주친 구름
말없이 비를 내려 주었다

비탈길을 걸어온
흔적을 보았을까

토닥토닥
따사로운 손길로
달래주었다

추억

바위를 향해
사무치는 파도에 빠져

아스라진 조각들을
주머니에 주워 담다

저 하늘 비친
내 모습을 봤을 때

이미 흠뻑 젖어
닦아낼 수 없었다

구름도 울지

구름 한 점에 사랑을
구름 한 점에 행복을
구름 한 점에 추억을
구름 한 점에 아픔을

그려보고 상상하고
지워보고 기억하고

구름을 보며
그림을 맞추다

뚝

빗방울 떨어지는
날이 있다

휴지 한 장

톡
눈물 한 방울
똑
휴지 한 장

힘이 될 수
없을지라도
눈물 닦아 줄
용기를 내볼게요

갈게요

울고 있나요
제가 갈게요

지구 반대편
홀로 있어도

마음부터
보내 놓을게요
그리고 뒤따라
제가 갈게요

부러워서

어느 날 올려다본
하늘이 부러워서
심한 말을 쏟아부었다

조금 질투가 난 것 치고
조금 과격하게

달 하나로도 행복할 텐데
별마저 다 가진 모습이 부러워서

보랏빛 밤

낮은 푸르고
해질녘은 붉고
밤은 이도 저도 못하다
보랏빛을 띄우고

그게 아쉬워
별 하나둘 점찍고
그마저 애매해
선을 긋고
하나둘 채워 넣다

다시 하늘은
아침을 맞이하며
보랏빛을 지워내고

설 곳 없이 외로운
밤은 별들을
벗 삼아 슬피 운다

달

위로받지 못해 울었나
행복 찾지 못해 울었나

가로등 하나 없는
구슬픈 골목
홀로 걸어가는 그대

가로등이 되어
함께 해도 되려나

가로등

당신이 저녁이라면
노을이 되렵니다

곧 만날
어둠 앞에
가로등 마냥
서서 비추다

때 되면
서서히 사라지는
존재가 되렵니다

해의 편지

노을은 해가 두고 간 편지
하루를 넘기는 해가
시린 듯 붉어진 펜을 들어
가슴속 여무는 두 글자 남기고
내려놓은 편지
하루를 받는 달에게

해야

이른 아침
우리에게 하루를 주고
밤이 되면
달에게 하루를 주는

해야, 넌
힘들지 않니

마냥 주기만 해서
받지 못할 줄 알면서
마냥 웃기만 해서

바보야, 나라도
널 바라볼게

고이 담을게
눈 감아도 네가 보일 만큼
눈이 멀어도 괜찮아

꽃이 지는 날

하루만 더
필 수 있게 해줘
하늘아

누구보다 어여쁠 때
손 한 번 잡아주고
꼭 한 번 안아주고
나지막이 사랑해
말할 수 있도록

하루만 더
필 수 있게 해줘

마음아 이제

이른 아침
이사 준비를 한다

첫 번째 방에는
사랑이
두 번째 방에는
행복이
세 번째 방에는
미소가

거실에는
추억이 산다

하나둘 내려두고
텅텅 빈 집을 바라보다
모르게 눈물을 흘린다

마음아,
네가 남았구나

귀뚜라미

울지 마라 울지 마라
소리가 들릴 때가 있습니다

그럴 때면 울지 않으리 다짐하고
눈물 한 방울
뚝 곁들여
연주를 이어갑니다

공연이 끝날 즈음
어느덧 악기를 내려놓고
왈칵 목놓아 울어버립니다

세상의 소음이 무뎌질 때까지

사랑이 필요해요

상처가
쌓이고 쌓이면

결국
스스로
상처 입혀요

아픈데
너무 아픈데
아무도 안아주질 않아서

벗어날 수가 없어서
스스로 괴롭혀요

그러니
사랑해주세요

봄이 아니어도

여름에는 해바라기
가을에는 코스모스
겨울에는 동백꽃

봄에만 핀다고
누가 그랬을까

봄에만 향기
그윽한 게 아니란 걸
왜 몰랐을까

그들만의 개화기가
있다는 걸
꽃봉오리는 기지개 필
준비 중이라는 걸

봄에 피지 않아도 된다는 걸
왜 몰랐을까

소년아, 돌아오라

해 뜨면 해 뜬다고
달 뜨면 달 뜬다고
비 오면 비 온다고
눈 오면 눈 온다고

항상 밝게 웃던 소년아!

내게 다시 돌아와서
나를 웃게 하려무나

위로

괜찮아, 잘하고 있어
조금 더뎌도 괜찮아

내게 하지 못했던 말
네게 대신 전한다

거울 속 너에게

신호등

인생의 신호등은
쉼과 도전의 연속을 알려주는
안내판이다

붉은색일 때는
잠시 멈춰서 주위를 둘러보고
푸른색일 때는
앞을 보고 나아가자

민들레

시는
민들레 같아야 좋다
가벼이 바람 따라
훨훨 날아다니다

타악

달라붙어서
자리 잡고
꽃 피울 수 있도록

시를 쓰는 이유

고이 적어
고이 접어
날려 보낸 종이비행기

얼마 후 들려오는
아이의 웃음
울음소리

그래, 사실 난
저 한 아이를 위해
시를 쓰고 있다

신현택______

『내일이 토요일이라
사무실 화분에 물을 한 모금 더 주었습니다』

일상에서 우울을 느끼며
깊은 심해로 빠져드는 것은
결코 나쁜 것이 아닙니다.

다만 그 감성으로부터
벗어나려고
급히 표면으로 가려는 몸부림 속에서
잠수병을 얻곤 합니다.

우울을 우울 그대로
당신 옆에서 같이 이해해줄 수 있는
글을 쓰겠습니다.

내일이 토요일이라
사무실 화분에 물을 한 모금 더 주었습니다

누군가는 완벽히 매일 빼놓지 않고
물을 주는 것이 사랑이라고 하지만

전 세계 사무실의 화분들이
휴일에 물을 마시지 못해도 싱싱하듯

사랑이란
내일이 토요일이라 물을 마시지 못함을 알고
금요일 오후에 물을 조금 더 기울이는
그 마음이 아닐까.

파도

사랑이 뭐냐고 아이가 물었다
어부는 답했다

사랑은 '파도'와 같다고
때로는 잔잔하고 때로는 풍랑에 휩쓸리지만
항상 파도는
해안으로 밀려오듯

한 곳으로
한 사람으로
끊임없이 향하는 것이라고.

담화(잠수부)

그렇게 깊게 내려가는 거 무섭지 않아요?

잠수부는 말했다.

"깊게 내려가는 것 보다는
얼마나 깊은 곳에서 갑자기 올라오느냐가
더 무서워요.
깊게 내가 침잠하는 것 보다
일상의 혈관이 견딜 정도의
속도로 올라오는 그런 천천함이 제일 중요합니다."

고도(高度)

아이가 기차차창 너머를 바라보며 말한다
"엄마 달이 계속 따라와."

아이 말대로 기차가 더 빨리 철로를 달릴수록
달은 기차와 같은 배경인양 그토록 붙어있다

어떤 감정도
어떤 피조물도

일단 높은 고도에 위치하게 되면
그 아래에서 그토록 빨리 달려도
피할 수 없다는 것을

나는 왜 이제야 깨달았을까
나는 서른의 언저리에서
추억도 감정도 더 높이 걸지 않으려고 주저한다
후에 그 아이처럼 달을 피할 수 없을까봐

성탄절 트리에 꼭대기 별이 없는 것처럼
기차차창 너머의 밤은 어둡다.

식목(植木)

만남이라는 토양에
더 올곧은 나무처럼
우리를 심으려면

나는 너를 만나러 가기 전에
먼저 삽을 들고
나 자신을 파보려고
깊게 너를 심을 수 있도록.

꽃은 아이보다 계주를 못함을

운동회에서 어린 소녀가 계주봉을 쥐고
뛰어가다 뒷번 아이 코앞에서 넘어졌다
어린 소녀는 경기가 끝나고서도 계속 눈물지었다

어머니는 우는 아이의 손을
봄꽃처럼 나지막이 잡고 가는 골목에서

매화와 개나리 그리고 벚꽃은
계주봉을 이리저리 놓치며 같이 걷고 쉬었다 간다
아이에게 괜찮다며
봄은 같이 길가를 수놓는다.

관계의 열역학

오랫동안 켜진 전구를 손으로 잡으려고 하다간 손이 데이기 십상이다. 홀로 어둠 속을 밝혀온 자신의 노고를 누군가에게 고하듯 빛은 열이 되어 방사한다

더 오래 지탱하고 더 오래 버텨온 것들은 으레 온도가 오르는 걸까?
장거리를 운전한 자동차의 타이어는 마찰열을 태우고
카페의 정적을 채우려고 한동안 튼 LP판은 긁히며 열을 내고
먼 거리의 누군가를 걱정하는 전화 통화는 귀를 그토록 뜨겁게 한다

사람의 관계를 움직이는 축이 멈추는 순간
그 온도는 식겠지만

그 축이 멈추지 않는 이상
열을 내며 움직일 것이다
물론 그 움직임 속에서 마찰음을 내며 때로는 위태롭겠지만

결국 움직이고 열을 낼 것이다
다른 이는 만질 수도 없게 전구처럼 뜨겁게.

노이즈가 생긴다는 것은

노이즈가 생긴다는 것은
오늘도 당신이
당신의 방향으로 전진하고 있다는 것

흘러가는 강물에 비치는 피사체는
파고에 따라 원형에서 변형되고

도시를 너머
어딘가로 향하는 여행자의
자동차 라디오에서는
잡음이 넘는 경계마다 밀려온다.

담화(꽃집)

꽃다발을 만들어 주시면서
인상이 좋은 사장님이 한마디 건네셨다

"행복한 날에 꽃다발을 주는 건 정말 좋죠
다만 꽃은 결국 시들 수밖에 없으니까요
누군가에게 꽃을 주고 끝나는 '점'보다는
누군가와 꽃이 시드는 과정을 지켜보는 '선'이 되기를
바라요."

궤도

같은 궤도에서
서로 마주 보며 기차들이 이동하면
'충돌'하게 되고

각자의 궤도에서
서로 마주 보며 기차들이 이동하면
'만남'을 가지게 되듯

충돌이 아닌 의연한 만남으로
우리가 만나기를

각자가 각자의 삶을 이겨내는
궤도에서 서로 마주 보는 만남을 가지길.

깊다

'배려심이 깊다'
'사려 깊다'

깊은 마음을 가진 사람이
누군가를 품을 수 있지만

'근심이 깊다'
'수심이 깊다'

깊을수록 마음의 색은 어둡다
깊은 바다는
연안보다 어둡지만

어두워서 누군가를 품어주고 다독거린다.

포옹

누군가를 안아준다는 것은
정말 멋진 일이야

누군가를 안으면서
우리는 서로 간의 그늘을 만들지만
그 그늘에서는 각자의 그림자가
서로 포개어
서로 이해할 수 있으니까.

빨래를 널듯

마음이 눅눅해져서
마르기를 기다리는 때라도

움츠리면 안 된다
더 두 팔을 크게 벌려
고루 마음이 마르게 해야 한다

웅크리는 젖은 마음에는
습기가 맴돌고
장마철 마르지 않는 물내가 풍길 수 있기에.

화로(火爐)

나는 어릴 때
아궁이에
종이상자를 집어넣는 모습이 참 신기했어

그 부피 큰 상자가
움직이는 이빨 같은 화구(火口)에서
스르륵 녹으며
끝도 없이 그 커다란 상자들이 들어가는 거야

그걸 보면서 문득
나도 마음이 그토록 뜨거운 사람이라면
너가 생각하는 그 부피만 큰 바스락거리는 고민도
상자가 녹듯 녹여줄 텐데
그런 생각이 들어.

춤

"모두가 같은 동작을 해서는 춤을 출 수 없어."

너가 나를 향해 한 발짝 가까이 온다면
난 눈을 마주치며 반 뼘 뒤로 가고

내가 긴장해서 짧은 숨을 내쉰다면
너는 보일듯한 미소로 숨을 삼키며

서로가 다른 동작을 하지만
그렇게 서로의 공간을 채우면 그게 춤이야.

취기(醉氣)

더 끓이고
더 숨겨진 곳에서
발효되어 취하는 '술'이 되는 것처럼

다시는 그 사람을 생각 안 하겠다는 '기억'도
더 시간이 가면서 애끓고
지나간 밀폐된 기억 속에
갇혀
발효된다

술이 술을 마시듯
기억은 기억을 마시고
달이 일렁이듯 취해간다.

동반(同伴)

사랑해서 때로는 슬프다는
소녀에게
고래는 젖은 눈으로
대양에서 말했다

"먹이를 삼키기 위해
 입을 여는 순간
 바닷물을 삼켜야 하듯

 사랑을 하기 위해서는
 마음을 여는 순간
 아픔을 지녀야한다."라고.

국밥

무언가를 삼키기가 힘든 사람들이
서울의 늦여름 밤에 더위를 끅끅 삼켜대며
국에 밥을 탄다

허기는 데는 고통을 이겨내기에 충분한 듯
밥을 마시면서 하루의 근육통을 마시고
술을 마시면서 하루의 애잔함을 마신다

마시는 그 자체를 즐기지 못하는 도시는
파리가 꼬이는 사체의 한복판처럼
다들 입천장을 데면서

애환과 땀응고 덩어리를 밤에 풀어
도시는 삼켜버리고 들이 마신다.

마모

정비사님이 '크랭크'가 마모되었다고 말했다
그 부품이 무언지 궁금하여 검색하니
'왕복운동'을 '회전운동'으로 바꿔주는 무언가라네

세상 속에서
증오는 증오만의 운동을
사랑은 사랑만의 운동을 하는데

그 둘을 이어주는 고단하고 가여운 것이 아닐까
잡념이 들었다

그래도 크랭크가 마모되는 세상에서
나는 왕복운동을 회전운동으로 바꿔주는
장치가 달린
자동차를 타고 달리며

세상의 힘겨움을
너를 향한 움직임으로 바꿔 달려갈 수 있음에 감사한다.

걱정

나이가 들어감은
콘크리트 반죽이 조금씩
고형의 틀에 굳어가는 느낌이랄까

그래서
지금 이 나이에
마음이 반죽처럼 변하는 때가
그토록 무섭다

누군가의 장난스런 손자국을
그대로 품고
굳어갈까 봐.

빨래를 방에 널어놓는 밤

너무 건조하면
늘어지고 축축한 빨래를
방에 널어놓는 밤도 있잖아

나도 그래서
마음 한켠에 그런 기억을
널고 잘 때가 있어

그러곤 일어나서는
습도가 빠진 기억을 다시 개고
조금은 가벼운 발걸음으로 출근을 해.

지혈

상처를 눌러야
출혈이 멈춘다니까

아픈 순간에
더 그 아픈 순간을 부여잡고
조금은 더 울어도
그렇게... 나쁜 건 아니지 않을까?

작용, 반작용

우리가 슬픔이 내린 밤 더 급하게
출구를 향해 액셀을 밟을수록
조금은 더 위태롭게 뒤로 잠시 젖혀짐이

그 고리타분한 과학 교과서에도 쓰여있다니까
조카도 아는 그 교과서에

나는 그래서
사랑이 작용하니
주저함이 잠시 반작용함을

안주하며 액셀을 조금씩 밟아보려고.

와해(瓦解)

난 그저 내 세계에서
전봇대 하나가 넘어진 줄 알았어

그저 너와 나의 추억을
받치고 있는 하나의 지주대가 무너진 줄 알았다

그런데 그 전봇대가 무너지자
정전 같은 어둠 속에서 난

너를 만나기 전의 세계의 전선과
너와 헤어진 후의 세계의 전선을
이으려고 애쓰고 있다

짧아서 이어지지도 않는 선을 정전 속에서.

별자리

"저게 어떻게 사자 모양이에요?"
사자자리 별자리를 보던 학생이 물었다

중학교 선생님은 웃으며 학생에게 답했다
"사자라고 생각하면 별들이 알아서 손을 뻗을 거다

이어지지도 않은 별들 사이로도
관계를 만드는 사람들인데

지금 손을 마주 잡은 우리의 인연은
저 얼마나 빛났던 기억이 될까."

선생님의 3교시가
카시오페이아 별자리처럼 추억에 잠겼다.

강을 건너기 적절한 때

강이 얼어서
오늘은 노를 젓지도 않고
수월하게 걸어왔어요

내일은
강이 녹아
걸을 필요도 없이
노를 저어 수월하게 그대 쪽으로
한 뼘 나아갈 겁니다.

겨울의 질감

겨울이 오는 길목에서
거친 손이 만들어내는 훈기는 문득 서럽게 만든다

붕어빵을 노곤히 만드시는 할아버지가
건네는 거친 주황 봉투 안에는
밀가루가 조금은 눅눅한 붕어빵이 달라붙어 있고

맨들한 귤을 만지는
과일가게 할머니의 손은
귤을 맺는 나무가 된 듯 거칠고 나이테가 있다

거친 손들이
따뜻함과 향기로움을
이렇게 겨울의 길목에서 지펴내고 있다.

동력원

동력원이 무한해도
동력을 쓰기 위해서는
베어링, 터빈 등
접촉하는 소모품이 있어야 한다

우리는 그런 소모품이
닳고 녹슬면
자연스럽게 교환하면서

우리 마음에 접해있는
관계가 녹슬면
내 마음 자체가 고장 난 줄 안다

그저 우리 사이를 접촉하는
단어 한마디
미소 한 모금만
바꾸면 되는데.

블랙홀

더 강하게
빛을 뿜던 항성이어야

소멸 후에 블랙홀이 된다

더 뜨겁고
더 거대했던
인연이 식어가고

결국 끝을 맺어 지평선을 넘겨야

일상을 송두리째 삼키는
블랙홀이 된다

더 그토록 밝았기에
어두워지고 모든 것을 빨아들인다.

토성

너의 고리는

멀리서는
밤하늘의 실크 같아서
감탄하여

쓰다듬어 보러 갔더니
무수한 파편의 직물이었구나.

정박

태풍이 몰아치는 대양의 한복판에서
젊은 선원이 늙은 선원에게
배가 요동치니 닻을 내리면 안 되냐고 물었다
늙은 선원은 답했다
심연에 떠 있는 힘든 순간에도
우리는 연안까지 가서 닻을 내려야 한다고
감정의 바닥 깊이도 모르는 심해 위에서
무쇠의 닻을 내리다간
모든 게 뒤집히고 잠겨 버린다면서.

제주도

어린아이가 귤꽃 같은 손으로
귤 향을 손에 묻히며
사그랍게 웃는다

제주도 바닷바람이 이리저리
드나든 할머니의 얼굴에는
바람 고랑이 생겼지만

귤꽃 같은 손녀를 보며 미소 짓는다

모든 게 익어 가면 부드러워지고 달달해지는지
너무 익어 물러져 터진
귤 옆구리 사이
드나드는 바람도 달달하다.

해녀

항상 바다에 들어가는
그 과부인 해녀는
세상이 참 못 믿을 녀석이라고 말했다

남편의 구겨진 고백 편지에서
나만 바라봐주는
바다같이 깨끗한 마음을 알았고

그이를 잃고
마음은 건조해 갈라지는 사막 같지만
바다에서 일해야 해서
눈에는 물기가 마를 일이 없다고

그래서 그 해녀는
바다에 들어가서 운다고 했다
눈물인지 나도 모를 만큼 운다고 했다.

궤적

도시에서 가장
긴 궤적을 그린

버스 기사 아저씨가
마음 놓고 걸은
발걸음 수가 그토록 적음을 알았을 때에

버스에서 본
도시의 야경은
하나하나의 네온사인 혈류 같은
빛깔임을 느꼈다.

가을 단상

늙은 벤치 색 중절모를 쓴 노인이

손녀에게 웨하스를 부스려 준다

노인은 큰 조각을 손녀 입에 넣어주고
조금 큰 부스러기는 자신이 털어먹고
떠는 손으로 나머지는 비둘기에게 던져주었다

엽록이 낙엽이 되고
부스러져 흩어지는 이 계절에

손녀는 할아버지가 혹여나 흩어질까
손을 꼬옥 잡고 잠에 든다.

젖은 박스

사랑에 빠진다는
표현 자체에서

우리는 사랑의 속성은
'물기'와 관련되어 있다고 유추할 수 있다

물에 젖은 박스를
들고 가다가는
내용물이 쏟아져 내리듯

사랑에 젖은 마음으로
누군가를 담고 다니는 나는
세 걸음도 못 가서
계속 박스 밑바닥을 확인한다.

양치기 우화

양치기와 양치기의 부인이
한낮의 초원에서 누워 자고 있다

문득 양치기는
그녀에게 내리쬐는 햇살이 야속해
여비를 챙기고 해를 찾아갔다

해 앞에서
양치기는 더 큰 파라솔을 치고
더 사지를 크게 벌려 햇살을 가로막고자 했다

양치기의 부인은 일어나서
양치기가 없음을 슬퍼했다
그녀에게 필요한 것은 해를 가리는
거대한 존재가 아닌
그저 그녀의 뺨을 가려줄 가까운 한 뼘의 존재였기에.

잠수병

더 깊은 곳에 있었는지가
중요한 것이 아니라

얼마나 더 급하게
수면으로 올라왔는지가
'잠수병의 원인'이라고 한다

얼마나 더 급하게
그 감정에서
나는 도망치려고 했는가

사랑, 열등감, 배신감의 저변에서.

먼지

창문을 닫은 방에도
먼지가 쌓이듯

아무것도 하지 않는
너의 나날들 속에서도

마음속에
조금의 먼지가 쌓이는 것은
이상한 일이 전혀 아니다.

파도의 원인

무엇인가 움직이는 힘은
앞서는 양태가 아니라
뒤에서 밀어내는 동력에 있다

파도 앞면 부서지는
포말 같은 표출하는 양태가 아니라

파도 뒷면 모든 배경들을
미는
그런 힘이 곧 추진력이다

사람에게는
추억
기억
사랑이
곧 그 뒷심의 활력이다.

두고 온 사랑이 생각나 새벽을 유영합니다

2022년 4월 27일 초판 1쇄 발행
2022년 4월 27일 초판 1쇄 인쇄

지은이 | 단일, 김동식, 이하림, 하구비, 신현택

책임편집 | 송세아
편집 | 안소라, 김소은
제작 | theambitious factory
인쇄 | 아레스트

펴낸이 | 이장우
펴낸곳 | 꿈공장 플러스
출판등록 | 제 406-2017-000160호
주소 | 서울시 성북구 보국문로 16가길 43-20 꿈공장 1층
전화 | 02-6012-2734
팩스 | 031-624-4527
이메일 | ceo@dreambooks.kr
홈페이지 | www.dreambooks.kr
인스타그램 | @dreambooks.ceo

파본은 구입하신 서점에서 바꾸어 드립니다.

꿈공장⁺ 출판사는 모든 작가님의 꿈을 응원합니다.
꿈공장⁺ 출판사는 꿈을 포기하지 않는 당신 곁에 늘 함께하겠습니다.

ISBN | 979-11-92134-10-9

정 가 | 13,000원